To. 아직 행복을 기다리고 있을

———————에게

이 책을 드립니다.

From. ————————

곰돌이 푸,
행복한 일은 매일 있어

아직
행복을 기다리는
우리에게

곰돌이푸,
행복한 일은
매일 있어

곰돌이 푸
원작

RHK
알에이치코리아

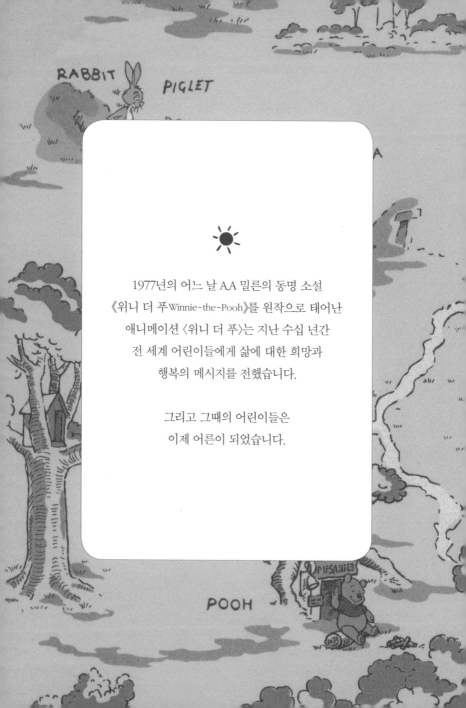

1977년의 어느 날 A.A 밀른의 동명 소설
《위니 더 푸Winnie-the-Pooh》를 원작으로 태어난
애니메이션 〈위니 더 푸〉는 지난 수십 년간
전 세계 어린이들에게 삶에 대한 희망과
행복의 메시지를 전했습니다.

그리고 그때의 어린이들은
이제 어른이 되었습니다.

오늘이 무슨 요일이야?

What day is it?

오늘!

It's today!

내가 제일 좋아하는 날이네!

It's today! Oh, it's my favorite day.

아직 행복을 기다리고 있을 당신에게

넓고 푸른 숲속에 살고 있는 곰돌이 푸는 성격이 느긋하고 꿀을 아주 좋아합니다. 숲속에서는 크고 작은 사건들이 끊이지 않지요. 곰돌이 푸는 주변에서 일어나는 다양한 사건을 긍정적으로 볼 줄 아는 능력이 있습니다. 숲속 친구들 앞에서 자랑을 하거나, 더 많은 것을 갖기위해 욕심을 부리거나, 누군가를 화나게 하는 것에도 관심이 없어 보이지요. 문제가 생기더라도 느긋하고 긍정적인 성격의 푸는 심각하게생각하지 않고, 단순하게 직접 행동으로 부딪혀 해결해나갑니다. 그런 푸는 어떤 상황이건 얼굴에 항상 행복한 미소가 가득합니다.

매일 행복하진 않지만, 행복한 일은 매일 있어.
Every day isn't always happy,
but happy things are always here.

이런 푸의 삶의 방식은 '자기 삶의 방식은 스스로 정한다'라고 말했던 19세기 독일 철학자 니체의 생각과 매우 비슷합니다. 이 책은 행복에 대한 니체의 정신이 담긴 명언을 뽑아 푸의 목소리로 말하고 있습니다. 말을 걸듯 조곤조곤한 푸의 언어로 메시지를 읽다 보면, 행복한 푸의 기분이 우리에게도 전해져 우리도 오늘 하루를 긍정적으로 바라볼 수 있게 되지 않을까요?

누구나 행복해지고 싶다고 바랍니다. 하지만 누구나 행복해질 수 있는 것은 아니죠.
자꾸 나에게만 우울한 일이 생기는 것 같고, 행복이란 것이 도저히 닿을 것 같지 않은 기분이 들 때 이 책을 읽어보세요.
곰돌이 푸의 이야기가 여러분을 새로운 세계로 이끌어줄 것입니다.

곰돌이 푸와 친구들

크리스토퍼 로빈

영리하고 배려심 있는
모두의 리더.

푸

로빈의 베스트 프렌드.
따뜻한 성격을 지녔으며
꿀을 아주 좋아하는 곰.

피글렛

상상력이 풍부한
작은 돼지.

이요르

무슨 일이든 부정적으로
생각하는 당나귀.

아울

수다스러운
할아버지 올빼미 .

티거

활발하고 밝은 성격의
호랑이 .

캥거 & 루

캥거루 모자 .
아들을 끔찍이 사랑하는
엄마와 활달한 성격의 아들 .

래빗

똑똑하며
조금 잘난 체하기를
좋아하는 토끼 .

CONTENTS

2.
모든 문제는
생각보다
단순하다

인생의 늪에서
빠져나오는 힘

1

하고 싶은 것을
간절하게 떠올려보세요

인생이 새하얀 도화지라면 어떤 그림을 그리고 싶은가요. 지금
무엇이 머릿속을 스치고 지나갔나요. 나이의 많고 적음이 상관
없습니다. 하고 싶은 것이 있다면 방법을 고민하고 간절히 바라
는 마음에서부터 새로운 인생이 시작되기도 하니까요.

바라는 마음만 있고
행동으로 옮기지 않는다면

━━━

무슨 일이든 적극적으로 추진하지 않는 데에는 이
런저런 이유가 있기 마련입니다. 하지만 내일로 미
루기 위해 스스로 핑계를 찾고 있는 것은 아닌지
곰곰이 생각해보세요. 더 좋은 방법은 이런저런 생
각이 들기 전에 일단 행동하는 것입니다. 행동하지
않으면 아무것도 시작되지 않으니까요.

남을 위하기 전에
나를 먼저 돌보세요

—

다른 사람을 배려하고 사회를 위해 힘을 보태
는 것도 중요합니다. 그러나 그보다 먼저 나를
위해 살아가는 것이 더 중요해요.

행복을 매일 느낄 수는 없지만,
한번의 행복이
내 삶을 의미 있게 해줘요

▬

매일 즐거운 일이 생기지 않으면 인생이 재미없다고
생각하는 사람들이 있습니다. 하지만 진정한 행복을
느끼는 일은 한번이어도 충분히 의미 있고 재미있는
인생입니다. 행복을 찾는 방법은 자신에게 그 행복한
한번이 무엇인지를 찾아가는 과정이에요.

목표를 높게 잡았으면
이제 아래는 내려다보지 마세요

━━━

가능한 목표를 높게 설정하는 것은 앞으로 나
아가는 데에 도움이 됩니다. 이제 뒤를 돌아
보며 주춤거리거나 망설이지 말고 앞으로 나
아가세요. '나 같은 평범한 사람이 뭘 할 수
있겠어'라는 생각에 고개를 떨구는 순간 목표
지점은 훌쩍 멀어져버리니까요.

나를 사랑한다면
어쨌든 즐겁게 살 수 있어요

—

살다 보면 가끔 인생의 무게가 어깨를 짓눌러 올
때가 있지만, 그래도 '나'를 소중히 여기는 사람
이라면 어떻게든 즐겁게 살아갈 수 있을 거예요.

가끔은 좋아하는 것에
흠뻑 빠져보세요

━

하고 싶은 것을 하지 못해 괴로운가요?
가끔은 좋아하는 일을 하면서 마음껏
즐겨보세요. 그것이 바로 건강한 삶의
비결이에요.

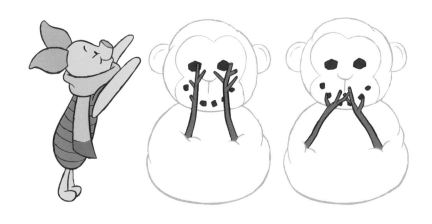

아무리 가까운 사이라도 서로를 다 안다는 생각은 착각입니다. 사람의 시선은 언제나 나의 기준에 맞춰져 있고, 상대에게 이상적인 모습을 바라기 때문에 남을 완전히 이해한다는 것은 어쩌면 힘든 것이 당연합니다. 상대의 기분에 대한 적당한 배려는 필요하지만 지나치게 신경 쓰다 보면 오히려 내가 상처 입을 수도 있답니다.

다른 사람의 기분을
지나치게 신경 쓰지 마세요

무엇을 하고 싶은지는
내가 가장 잘 알고 있어요

스스로에게 '내가 진심으로 좋아하는 것은 뭘까?'
라고 물어본 적이 있나요? 가끔 앞날이 막막하게
느껴질 때, 가장 먼저 대화를 나눠야 할 사람은
다른 사람이 아닌 바로 자기 자신입니다.

실수했더라도
너무 자책하지 말아요

일할 때나 인간관계에서 작은 실수를 했더라도 '나 자신'을 지나치게 탓하거나 '내 성격' 자체를 부정할 필요는 없습니다. 이미 벌어진 일, 너무 주눅 들지 말고 자책하던 마음을 내려놓아 보세요. 생각보다 큰 문제가 아닐 수도 있어요.

일의 가치는
돈으로 결정되지 않아요

━

살아가기 위해 돈이 필요한 것은 맞지만, 돈을 직업
선택의 유일한 기준으로 삼는 것이 좋은 생각은 아니
에요. 좋아하는 일을 하면서 보내는 시간도 아주 소
중하니까요.

'멋진 하루를 보냈어'라고
말할 수 있는 삶

'이것은 좋고, 저것은 나쁘다'라며 일일이 따지고 비교
하지 마세요. 때로는 있는 그대로 모든 것을 받아들이
는 삶의 자세가 매 순간을 사랑할 수 있게 해줍니다.

가장 좋은 것도,
가장 나쁜 것도,
사실 별거 아니에요

━━

좋은 일, 나쁜 일에 일희일비하는 것은 자연스
러운 반응이지만, 사실 인생이라는 긴 시간 속
에서는 모두 사소한 일일 뿐입니다.

몸은 거짓말을 하지 않아요

━━

보통 마음과 몸은 별개라고 생각하지만, 마음이 약해
지면 몸도 약해집니다. 그러니 몸의 반응을 살펴보면,
나의 마음이 어떤지 알기 쉬워요.

좀처럼 마음이 잡히지 않을 때는
잠시 생각을 내려놓으세요

일을 하려고 앉아 있어도 좀처럼 일이 손에 잡히지 않는 날이 있습니다. 그럴 때는 모든 것을 잊고 아무 생각도 하지 않는 시간을 가져보세요.

잠재된 가능성을 잊지 마세요

앞으로 우리가 할 수 있는 일은 헤아릴 수 없이 많을 거예요.
그런데도 해보기 전에 포기하는 것만큼 아까운 일은 없겠죠.

아무런 생각없이
말하고 있는 건 아닌가요

───

가끔 깊이 생각하지 않고 무심코 뱉은 말이 상대의 마음을 상하게 하거나, 불쾌한 상황을 만들어 민망해진 경우가 있지 않나요? 한번 입에서 나온 말은 되돌릴 수 없다는 것을 기억하면, 말하기 전에 다시 한번 생각하게 됩니다.

다른 사람의 말에
흔들리지 말아요

━━

다른 사람의 조언이 반드시 정답이라고 말할 수
는 없어요. 나의 선택이 옳다는 생각이 들 때는,
남의 말은 그저 흘려보내는 것이 어떨까요?

부정적인 감정을
너무 자주 드러내지는 말아요

━━━

내가 부정적인 감정의 늪에 깊이 빠져있을 때,
그 감정은 주변 사람에게도 전달된다고 합니다.
나의 부정적인 감정이 주변에 지나치게 영향을
미치지 않도록 조심하는 것도 타인을 배려하는
방법 중 하나입니다.

가끔은 아이처럼
생각해보세요

아이들은 눈앞에 재미있는 것이 있을 때, 이것저것 따지지 않고 온전히 그것에 집중해 즐거운 시간을 보냅니다. 나의 관심 분야가 너무 좁은 것은 아닌지, 쓸데없는 것은 아닌지 걱정하고 고민하면서 아까운 시간을 흘려보내지 마세요. 나를 즐겁게 해주는 지금 눈앞의 순간에 집중하세요. 관심이 다른 곳으로 옮겨가면, 그때는 또 다른 것에 몰두해도 괜찮습니다.

나를 향한 비난에
나를 맡기지 마세요

세상에는 자기 입장을 정당화하기 위해 다른 사람을
습관적으로 비판하는 사람도 있어요. 때로는 그런 사
람의 비난은 흘려들으며 나를 지킬 필요가 있습니다.

모든 문제는
생각보다 단순하다

2

나의 길은
나만이 정할 수 있어요

━━━

다른 사람의 조언을 참고할 수는 있지만 지나치게
기대지 마세요. 스스로 시행착오를 거듭하면서 나
의 인생이 나아갈 길을 찾아야 해요. 결국 나의 선
택은 나의 책임이니까요.

눈에 보이는 것이
항상 진실은 아니에요

많은 사람이 옳다고 믿는 사실이 항상 '진실'일까요?
실제로 우리가 진실이라고 믿는 것은 강하게 바라는
마음이 만들어낸 상상의 산물일지도 모르죠.

남이 말하는 대로 사는 삶은
의미가 없어요

━━

내가 하는 행동 속에 내 의지가 들어있나요? 혹시 남이 말하는 대로 움직이고 있는 것은 아닌가요? 인생은 긴 항해와 같습니다. 남에게 내 인생을 좌지우지할 수 있는 키를 맡기지 마세요. 내 인생의 키를 스스로 잡고 있다면 혹여 방향을 잘못 들어, 한참을 돌아가게 된다 할지라도 그것은 그것대로 의미 있는 과정이 될 거예요.

좋은 일을 함께
기뻐해주는 사람이
진정한 친구예요

━

당신의 슬픔을 위로해주는 친구가 곁에 있
나요? 그가 당신의 진정한 친구일까요? 좋
은 일이 생겼을 때 함께 기뻐해주는 사람이
진정한 친구예요.

편견을 버리면
더 많은 것이 보여요

━

때로는 여러 사람들의 말이 진실을 가리기도 합니다. 그런 말들이 막상 무언가를 시작하기도 전에 편견을 만들어 시작하려는 나의 마음을 머뭇거리게 만들기도 하죠. 그럴 때는 일단 사람들의 말을 모두 배제하고 처음부터 다시 생각해보세요.

갑자기 멋진 생각이
머릿속을 스쳐 지나간다면

갑자기 머릿속에 멋진 아이디어가 스치고 지나갔나요? 빨리
그 멋진 아이디어를 행동으로 옮겨 사람들 앞에 내어놓고 싶
나요? 빨리 결정을 내리고 행동으로 옮기는 것도 좋지만, 그런
행동이 나쁜 결과로 돌아올 때가 있습니다. 잠시 멈춰 서서 다
시 한번 생각해보아요.

내가 어떤 사람인지
궁금하다면

━

나를 가장 모르는 사람은 사실 '나'일 수도 있습니다.
나의 진짜 모습을 알고 싶을 때는 때때로 다른 사람의
말을 들을 필요가 있어요.

관심이 가는 사람과 가까워지고 싶고 특별한 관계가 되고 싶은 마음은 자연스러운 거예요. 지금 그 사람이 어떤 생각을 하고 있는지 알 수는 없지만 일단 말을 걸어보세요. 모든 관계는 그렇게 시작되니까요.

친해지고 싶은 사람이 있다면
일단 말을 걸어보세요

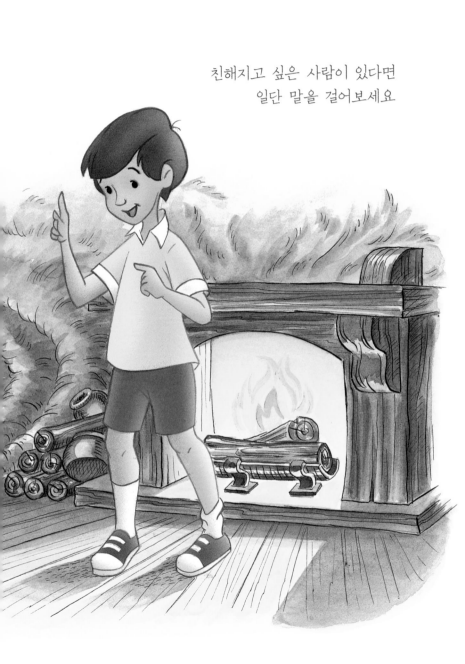

나도 나를 못 믿는데

———◆———

나 자신도 나를 믿지 못하면서 다른 사람
에게 나를 믿어달라고 말할 수 있을까요?
스스로에게 자신감이 없는 사람은 다른 사
람에게도 믿음을 주지 못합니다. 자기 자
신을 믿는 것이 우선입니다.

아는 것이 많지 않을 때
오히려 자유로울 수 있어요

━━

일을 시작할 때, 자신이 가지고 있는 지식과 경
험이 오히려 발목을 잡는 때가 있습니다. 그래
서 첫걸음을 내딛는 데 상당한 용기가 필요하지
요. 반면 잘 모르기 때문에 오히려 대담하고 신
속하게 행동할 수 있는 경우도 있답니다.

다정한 사람은 상대에게
수치심을 느끼게 하지 않아요

다른 사람에게 왜 그런 말을 했는지, 왜 그런 행동을 했는지,
후회하며 곱씹은 적이 있나요? 혹은 수치심을 느끼는 상대의
반응에 당황한 적이 있나요? 그 사람의 입장에서 다시 한번
내 행동을 돌아보세요.

괴로워하고 고민하는 사이
마음은 단단해져요

━━━

괴롭다고 해서 고민하지 않고 계속해서 도망치기
만 하면, 같은 일이 반복될 뿐입니다. 하지만 큰
시련을 이겨내고 나면 그만큼 마음이 단단해지는
것을 느낄 수 있어요.

지금 겪는 괴로움은
어쩌면 사소한 것일 수 있어요

━━━

우리는 주변에서 일어나는 여러 가지 일로 괴로워하
지만, 다른 사람들은 나의 괴로움에 큰 관심을 두지
않아요. 그만큼 의외로 지금 겪는 괴로움은 사소한
문제일지도 몰라요.

한없이 깊이 파고드는
태도도 필요해요

━━

누구에게나 진심으로 하고 싶은 일이 있습니다.
그 일에 대해서만큼은 지나치다 싶을 정도로 깊
이 생각해보세요. 그 일을 꼭 해내야겠다는 의
욕이 마구 생길 거예요.

누구나 자기 자신을
가장 사랑합니다

사람은 누구나 자신에게 가장 관심이 많고, 타인의 경우 관계가 멀어질수록 비례해 관심도 적어집니다. 나의 문제를 가장 깊이 고민하고 관심을 가지고 있는 사람은 나 자신입니다. 그러니 나를 잘 모르는 다른 사람의 말에 일일이 신경 쓸 필요는 없어요.

다수의 의견을 따르는 것이
편하기는 하지만

━━◆━━

사람들이 말하는 상식이나 지금까지 이어져온 관습대로 사는 것이 편하기는 하겠지만, 그런 삶이 정말 만족스러울까요? 그 삶에 '내'가 있을까요?

행복은 우리를 바라보고 있어요

━━━

행복은 우리 눈앞에 있지만 그것을 깨닫는 사람은 그리 많지 않아요. 행복은 사람들이 자신을 발견해주기를 기다리고 있습니다. 그리고 그 행복은 우리 자신만이 찾아낼 수 있죠.

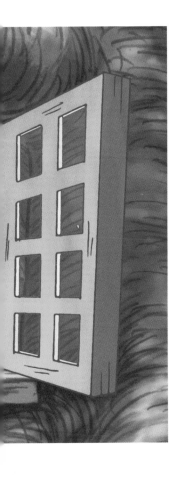

앞으로 나아가기 위해서
과거의 나를 버리세요

━━━

좋은 의미든 나쁜 의미든 과거에 얽매여
있는 사람은 앞으로 나아갈 수 없습니다.
몸에 배어 있는 낡은 습관들은 이제 잊으
세요. 이젠 앞으로 나아갈 시간입니다.

자립한 사람은 주변의 말에
쉽게 흔들리지 않아요

늘 주변 사람들의 의견에 휘둘린다면 인생에서
자립하기 어렵습니다. 인생의 길 위에 서 있는 것
은 자기 자신이라는 것을 기억하세요.

곰돌이 푸,
행복한 일은 매일 있어

나중을 위해
힘을 아껴두세요

━━

무슨 일이든 한번은 기회가 반드시 옵니다.
그날을 위해 에너지를 아껴두세요.

사랑은 받는 것이 아닌
하는 거예요

—

사랑에 대한 권리는 내가 아닌 다른 사람에게 줄 수 없는
거예요. 누구를 사랑하든, 사랑을 시작하는 사람도 끝내는
사람도 자기 자신이 되어야 해요.

곰돌이 푸, ───
행복한 일은 매일 있어

인생이라는 숲속에서
나를 잃지 않으려면

3

첫 번째는
나를 사랑하는 거예요

가족과 친구를 사랑하듯이 자기 자신을 사랑하는 것.
어떤 선택을 하든 그것을 기억하세요.

이미 선택한 것에
미련을 두지 마세요

━

우리에게 닥쳐오는 운명은 우연이 아닙니다.
나의 선택으로 일어나는 필연이지요.

상식이라는 말을
자주 하는 사람에게
휘둘리지 마세요

세상에서 일어나는 다양한 일을 '상식'이라는 한
마디로 정리할 수 있을까요? 그런 말을 습관적
으로 꺼내는 사람은 깊이 생각하지 않는 사람일
지 몰라요. 그러니 그에게 휘둘리지 말아요.

혼자 괴로움을
끌어안지 마세요

마음이 따뜻한 사람은 어떤 문제가 일어나든 자신을 탓하며
다른 사람의 괴로움까지 짊어지려는 경향이 있습니다. 그런
태도는 도움이 되기보다는 괴로움을 크게 만들 뿐입니다.

좋은 기억은 붙잡고,
나쁜 기억은 흘려보내고

나라는 존재를 이루고 있는 요소 중 하나가 기억입니다. 좋은 기억은 많이 남기고 나쁜 기억을 흘려보내면 행복한 나로 살아갈 수 있을 거예요.

작은 행복이 쌓이고 쌓여
큰 행복이 돼요

지나간 시간은 되돌아오지 않습니다. 아직
찾아오지 않은 행복을 마냥 기다리는 것보
다는 지금의 행복을 충분히 느끼는 것이
중요하지 않을까요.

눈에 보이지 않는 것에
흔들리지 마세요

—

사람들의 의견이나 세상의 상식 같은
불확실한 것에 흔들리지 마세요. 그래
야 내가 소중하다고 여기는 것들을 지
킬 수 있을테니까요.

위기를 이겨내는 일은
마음먹기에 달려 있어요

비 오는 날 아이들이 천진난만한 얼굴로
물웅덩이를 뛰어넘는 모습을 본 적이 있
나요? 그 아이들처럼 우리도 불운과 역
경을 뛰어넘을 수 있습니다. 긍정적인
마음으로 세상과 마주하세요.

세상에 휩쓸리지 않는 방법은
잠시 멈추는 거예요

━◆━

유행은 일시적인 현상으로 오래 이어지는 경우가
별로 없습니다. 지금 그 자리에 멈춰 서서 유행이
지나가기를 잠시 기다리세요.

멋지지 않으면 어떤가요?
눈앞의 행복을 잡아요

행복이 눈앞에 있는데도 나의 대외적인 이미지 때문에 외면하고
있나요? 혹은 눈앞의 행복이 생각했던 것처럼 근사하지 않아서
머뭇거리게 되나요? 멋지지 않아도 됩니다. 다른 사람의 시선은
그리 중요한 게 아니에요. 행복을 잡기 위해 초조해하고 발버둥
쳐도 괜찮아요. 어떻게든 찾아온 행복을 꼭 움켜쥐세요!

적어도 스스로에게는 정직하세요

인생이란 이미 짜인 틀에 맞춰 사는 것이 아니라 자기
손으로 만들어가는 것입니다. 자신감을 가지세요.

타인의 행복을
흉내 내지 마세요

주위 사람들이 마냥 행복해 보인다고
해서 그들을 일일이 의식할 필요는 없
습니다. 또 지금 그들보다 좋지 않은
처지에 처해있다고 해서 그런 상황을
초래한 자기 자신을 부정적으로 생각
할 필요도 없습니다.

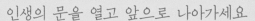

인생의 문을 열고 앞으로 나아가세요

자신을 속박하고 있는 굴레에서 벗어나 밖으로 나가
보세요. 새로운 세상이 당신을 맞아줄 테니까요.

자신에 관한 소문이나 이런저런 말을 어
설프게 듣고 속을 태우느니 아예 아무것
도 모르는 편이 더 나을 때도 있습니다.

다른 사람을 인정하지 않으면
성장할 수 없어요

—

능력이 너무 뛰어나 도저히 그 사람을 따라잡을
수 없어서 질투하고 미워한 적이 있나요? 그런
마음을 버리고 그 사람을 마음 깊이 인정할 때 우
리는 다음을 향해 갈 수 있습니다.

이제 한계라고 느끼는 순간이
한 번 더 도전할 때에요

━━━

살다 보면 열정을 가지고 노력하던 일도 포기하고 싶은 순간이
찾아옵니다. 누군가는 그것을 한계라고 말합니다. 그러나 그것
은 내 마음이 정해놓은 선일뿐입니다. 이제 정말 한계다라는
생각이 드는 순간, 거기서 딱 한 걸음만 더 내디뎌 보세요. 새로
운 세계가 보일 거예요.

내가 힘들다고
다른 사람을 탓하지 마세요

사는 것이 힘들어지면 다른 사람들을 탓하고 싶은 마음
이 불쑥 생겨납니다. 하지만 자신을 바꿀 수 있는 사람은
오직 자기 자신밖에 없습니다. 다른 사람을 탓하고 있으
면 부정적인 마음 때문에 기분만 더 가라앉을 뿐이지요.

닮고 싶은 사람을
찾아보세요

혼자서 삶의 목표를 정하고, 그 목표를 향해 흔들리지 않고 걸어가는 것은 정말 어려운 일입니다. 그러니 자신의 롤모델을 찾아 그의 발자취를 따라 걷는 것부터 시작해보면 어떨까요?

남이 다가오기를 기다리지 말고
먼저 다가가세요

━

다른 사람이 자기를 먼저 알아보고 좋아해주기를
바라는 마음은 어쩌면 낮은 확률에 나의 인생을
맡기는 일이 될지도 모릅니다. 상대방의 마음이
움직이기만 기다리지 말고 먼저 다가가보세요.

152 × 153

때로는 즉흥적으로
목적지를 정해도 돼요

▬

문득 떠오른 생각을 행동에 옮기기 위해서는 용기
가 필요합니다. 하지만 머리로 생각만 하지 말고 일
단 몸을 움직여보는 것도 좋지 않을까요?

최선의 길이에요

자신이 옳다고 믿는 길이

사람들이 뭐라고 하든 자신이 옳다고 믿는 길이 최선
의 길입니다. 자신감을 갖고 오늘을 살아가세요.

나는 너랑 함께 보내는 하루가 제일 좋아.
Any day spent with you is my favorite day.

그래서 오늘 하루도 나는 제일 좋아.

So, today is my new favorite day.

옮긴이 정은희

고려대학교에서 영어영문학과를 졸업 후 일본어의 매력에 빠져 일본어로 된 책을 읽으며 번역가의
꿈을 키웠다. 이후 글밥아카데미 번역자 과정을 수료했으며, 현재 바른번역에서 전문 번역가로 활동
중이다. 옮긴 책으로는 《위대한 직장인은 어떻게 성장하는가》, 《하버드 행복 수업》, 《왜 자꾸 그녀에
게 시선이 갈까?》, 《하루 3줄 영어 일기》 등이 있다.

곰돌이 푸, 행복한 일은 매일 있어

1판 1쇄 발행 2018년 3월 12일
1판 3쇄 발행 2018년 3월 26일

원작 곰돌이 푸
옮긴이 정은희

발행인 양원석
본부장 김순미
편집장 최두은
책임편집 최경민
디자인 RHK 디자인연구소 조윤주, 박진영, 김미선
해외저작권 황지현
제작 문태일
영업마케팅 최창규, 김용환, 정주호, 양정길, 이은혜, 신우섭, 이규진, 김보영,
　　　　　　김양석, 임도진, 우정아

펴낸 곳 ㈜알에이치코리아
주소 서울시 금천구 가산디지털2로 53, 20층 (가산동, 한라시그마밸리)
편집문의 02-6443-8825　　**구입문의** 02-6443-8838
홈페이지 http://rhk.co.kr　　**등록** 2004년 1월 15일 제2-3726호

ISBN 978-89-255-6335-0 (03800)

Winnie
the
Pooh